MITSUAKI IWAGO
TO CATS
JAPAN

ネコへの恋文

岩合光昭

ネコへの恋文　目次

拝啓　ネコ様　4
大きくなったね　18
気持ちいいね　32
楽しそうだね　46

仲がいいね 58

あったかいね 74

また会おうね 88

おわりに 102

拝啓　ネコ様

バーモント州　米国

田代島　宮城県

朝、道路を歩いていると思わぬところでネコに出会ってドキッとすることがありませんか。ネコは別に隠れていたわけではないのでしょうが、それでもいかにもネコらしく見つけられちゃったというような顔を見せます。

ネコの体には野生が残されています。自らの安全を確保する動きを、生まれながらに身につけています。ネコの次の動きには注目です。大きなストレッチ。これだけで次の瞬間には飛び出せるのですから、ネコにはいつでも頭の下がる思いです。

モロッコの海岸沿いにあるエッサウィラの朝です。民族衣装を着たヒトも行き交っています。

公園や魚市場に近いところにネコを見かけます。子ネコが親ネコを探して歩き回っていました。ザーッと降ってきた雨にも、体を引き締めるように太い前脚でしっかりと歩きます。このたくましさが子ネコの生き抜いていく力となるのでしょう。その後、公園の植え込みの中で、大きなオスネコの毛づくろいをまねていました。

エッサウィラ　モロッコ

ニューハンプシャー州　米国

米国北東部では、この国の始まりを垣間見るようなことがあります。ハロウィンの行事も、ここ北東部への移民から始まりました。

毛が長く大きな体のミケネコを見つけました。近づいて来てこちらの脚におでこをこすりつけてきます。そしてカボチャのところへと案内してくれます。それはまるでカボチャの大きさの自慢をしているようでした。

生後1～2カ月、春に生まれた子ネコたちです。子ネコの成長の早さに驚きます。母ネコから離れて冒険や探検。兄弟と一緒だからでしょうか、大胆な行動となり、気がつくとずいぶん遠くまで来ています。

子ネコたちの中で誰が先頭になって帰るのか、このころから社会生活が始まります。ちなみにこの中では一番左の子が最初に斜面を下り始めました。

弘前市　青森県

松江市　島根県

中庭のような空間に外階段があります。踊り場から子ネコが顔をのぞかせました。

そっと階段を上って見ると、子ネコの母親らしいメスが現れます。さらにその後ろから体の大きなオスがやってきます。そしてこちらを呼びとめるかのように、俺の家族に何だ、という顔をします。

そんなときは、オスの気持ちを察知して、カメラを少し引くことが大切です。するとオスは、まぁいいだろうという表情になります。ネコはヒトが考えている以上に、ヒトを見知っているのでしょう。

ロドピ地方　ブルガリア

ウシたちが放牧から帰ってきます。ちょうど子ネコが石垣で遊んでいる時間と重なりました。ウシたちは長い坂道を意外な早さで登ります。子ネコは２匹で、１匹はすぐに石垣の下に隠れてしまいました。

ウシが目前に迫ってきて、残った子ネコの背中の毛が逆立ちます。ウシはチラッと子ネコを見て、通り過ぎていきます。子ネコはこちらを振り返りました。大丈夫とでもいいたげな、やんちゃな顔に戻ったのが印象的でした。

BFSA
BG-21
035102

大きくなったね

みなかみ町　群馬県

パレルモ　イタリア

港に陸揚げされている漁船の縁でまどろむ母親のそばに、子ネコがやってきます。

たとえ親子であっても挨拶や礼儀はわきまえなければなりません。子ネコの動きには緊張感があります。

そっと母親の顔に鼻を近づけます。大げさにいえば、子ネコが生き残っていくためには、この確認はとても重要なことなのです。この瞬間、子ネコは母親の機嫌や、何をしていたのか、何を食べたのか、これから何をするのかを確かめているのです。

母親はきっと教えてくれたのでしょう。この直後、優しいおじさんが魚を持って親子のところへとやってきます。

HA

コヒマル　キューバ

キューバのハバナに近いところにコヒマル漁港があります。この場所でアーネスト・ヘミングウェイは『老人と海』を書き、その舞台としました。ヘミングウェイは本当にネコが好きだったのか、興味はつきません。

漁港の漁師、ネコ好きのチリ人が歩くと、ぞろぞろとネコたちが後に従います。子ネコの兄妹もいます。クロシロがオスで白サバがメスです。時は流れてもネコたちの血は受け継がれ、その日の釣果を確かめていたのでしょう。

田代島　宮城県

宮城県石巻市の沖合にある田代島は、ネコがたくさんいる島として知られています。

石巻市は、２０１１年の東日本大震災による甚大な災害を被りました。田代島にも被害がありましたが、市内の沿岸部に比べると少なかったと聞いています。

ネコたちのことが気になりましたが、ほとんどのネコは島の民家がある高台の上で暮らしているので無事だったようです。写真の親子がいるあたりも津波は来ていません。

これから、ネコたちに春がやってきます。石巻市の一日でも早い復旧と復興をネコとともに願っています。

逗子市　神奈川県

「チビ」は小さいころに木から落ちて、腰の骨を折るという重傷を負いました。獣医さんにも見放されますが、「チビ」はすばらしい回復力を示し、成長して子ネコに恵まれます。

それだけのネコですから子育ては半端ではありません。子ネコと一緒にいる時間をまじめに大切に過ごします。散歩に出かけるときにも先頭に立ってちょっと自慢するように子ネコをリードします。子ネコたちの尻尾は旗竿《はたざお》のようにピンと立っています。子ネコたちは、母ネコの「チビ」を絶対的に信頼して、母ネコ譲りのまじめな一面をのぞかせています。

いつもの坂道をいつものように下りてくる母子です。峠にある茶店に向かっています。母親に寄りそう子ネコはちょっと緊張しているのか尻尾にその気持ちが表れています。

さて、目的地、茶店の店先にはネコのために皿が用意されています。ネコに優しくしてくれるヒトはどこにでもいるということ。ネコとヒトは、長くて深い結びつきの歴史があります。ネコは、ヒトが野生動物を家畜化したといわれますが、時々ネコからヒトに近づいてきたような気がしてなりません。

尾道市　広島県

マラケッシュ　モロッコ

モロッコ・マラケッシュのジャマ・エル・フナ広場は、無形文化遺産に登録されています。

早朝、ネコと出会いました。広場の真ん中にあるオレンジジュースや香辛料を販売する屋台を目指して走ってきます。メスのようです。脇まで来ると、店員からミルクをもらいます。すると屋台の下から次々と子ネコが出てきました。母ネコだったのです。隠れていた子ネコたちは安全を確かめ、ミルクを飲んでいる母ネコの元に急ぎます。

一緒にたっぷりとミルクを飲んだ後は、母ネコがいる安心感のなか、とめどない遊びが始まります。

気持ちいいね

ロヴィニ　クロアチア

小樽市　北海道

民家の裏庭にて。ネコにとっては、木陰のマットレスと日傘はごきげんな休憩場所となっています。1匹が寛いでいるところへもう1匹がやってきます。まるで待ち合わせでもしていたかのような出会いの一瞬です。

ネコは、いつでもどこでもネコ同士での通信を交わしています。居心地を求めてその日の天候や風向きによって体が動きを決めていくようです。自由気ままにも見えるネコの動きが、ネコ同士で一致するのも当たり前なのでしょう。

レンゲソウがいっぱいのレンゲ畑も、見ることが少なくなって久しいですね。昔は、田んぼの肥料としてレンゲソウの根が使われていました。

ネコの背の高さはレンゲソウより少し高いくらいですから、横になると姿は見えなくなります。ネコが昼寝するにはもってこいなのです。「アー、眠くなってきた」とばかりにあくびされたので、邪魔をしてはならないと失礼します。

薩摩川内市（旧入来町）　鹿児島県

シエラネバダ　スペイン

山で見る空の色は格別です。シエラネバダ山中のネコたちは顔の作りが小さく可愛らしい印象を受けます。ミケネコが空を横切りました。細い柵を渡っていきます。いつもながらバランス感覚の素晴らしさには驚嘆します。

ミケのいく先の玄関には、今日もおばさんの作ったパスタが待っています。

シチリア島　イタリア

カフェで出会ったネコです。10歳は軽く越えるオス、名はドメニコ。ここ市庁舎前の広場が縄張りの中心地らしく、この辺りでよく見かけます。

広場でハトをハンティングしたあと、一角にある教会の中へ入っていきました。奥へと進み、ざんげ室の前で座ります。彼が何を考えているのか想像もできません。

暑さが残る夕暮れ、縁台の上に若いネコが乗っています。

どこかで見たようなポーズをとっています。スペインの画家フランシスコ・デ・ゴヤが描いた「裸のマハ」に似ていませんか。マハとは、小粋な女というスペイン語と聞きます。このメスネコも自由奔放に生きているように見えてきます。

川越市　埼玉県

トルコのイスタンブールはネコに出会える街といってよいでしょう。

グランドバザールと呼ばれる屋根付きの巨大なショッピングモール、ここに本屋さんが集まる通りがあります。ネコ好きな本屋さんを訪ねると、店の中には椅子を占領するネコの家族がいます。

ここまで子ネコたちが大きくなると母ネコはたいへんです。でも子たちに囲まれて熟睡中の母親は、満足そうにも見えてしまいます。

庄原市　広島県

楽しそうだね

竹富島　沖縄県

早朝の砂浜は静かです。低木の間からネコたちが顔をのぞかせます。声をかけると飛び出てきました。

この時間のネコはエネルギーの爆発なのか、それとも体操なのか、素早く動きます。目にも止まらない早さで、オスがメスの体を飛び越えます。ふざけ合っているだけのようですが、狩りの動きを彷彿《ほうふつ》とさせる野生のリズムを感じます。

ネコは、見られていることを意識するときがあります。

漁師から数匹の魚をもらうと、まず小さい魚を平らげてから大きな魚にやってきます。こちらをチラッと見た後で、ひっくり返ります。前足で魚をつつき始めるのですが、背中をこするようにクルッと一回転してからまた魚に足を伸ばします。でも、「ぼくって可愛いでしょ」というパフォーマンスにしか見えませんでした。

田代島　宮城県

テネシー州からルイジアナ州までミシシッピ川沿いにネコを探していたときです。

ネコ探しに夢中になると何でもネコに見えてきます。干してあるコウモリ傘までクロネコと見紛えます。

突き当たりの家の前にはミッキーマウスから星条旗までありとあらゆるものが置かれていました。飾られている品々を見ているうちに、目の錯覚かのようにネコが現れます。錯覚ではありません、トラネコがこちらを見ています。ネコは、こちらが意識をした途端にポーズを決めてくれました。

ミシシッピ州　米国

ネコを探して撮影するときは、谷に架かる橋を渡っているときも、ネコを探す目を休めません。自由に動けるネコは、いつどこに現れるかわからないからです。

橋の下に白い生きものが動いたのを、「あれっ、ヤギかな」と思いました。確かめるために、橋を渡ったところで車を止めます。ヤギよりもずっと小さなネコたちが朝の散歩で、道に出てきたところです。

道は農家の先でなくなっているため、ネコは車を恐れずに遊び始めます。家族でしょうか。みな、楽しげです。

飯南町　島根県

シチリア島　イタリア

夕暮れ、ご主人が静かに牧舎の柵をあけると、草原に放していたヒツジやヤギが家路につきます。ネコたちも帰ってきます。ミルクとキャットフードが待っています。ヒツジたちとの連帯感があるようで日課のリズムを心得ています。動物たちを見守るご主人の穏やかなまなざしが、牧場に流れる時間を優しいものにしているのでしょう。

ルシヨン　フランス

仲がいいね

シエラネバダ山脈の山中にあるブスキスタルという集落でネコと出会います。民家の前にイヌが3頭いました。そのなかのシェパードの胸もとに子ネコを見つけます。イヌは子ネコを愛おしそうに舐めまわします。子ネコの頭が犬の舌の動きに合わせて右へ左へと揺れています。

家のなかから少女が出てきて子ネコを胸に抱き上げました。ネコの扱いに慣れている少女の仕草と、子ネコの安心しきった顔がかわいくて、うれしくなりました。

シエラネバダ　スペイン

イスタンブール　トルコ

トルコのイスタンブールでは飼い主のわからないイヌやネコが、平気な顔をして歩く姿をよく見かけます。昼下がり、本屋街でイヌとネコが遊んでいます。お互いに若く、相手を慕う良い雰囲気に包まれています。どちらかといえばネコの方が積極的にイヌへと甘えているようです。イヌとネコが仲良しの場合、イヌの方から近づくとネコに怒られてしまうことが多い気がします。動物としての本質を垣間見るようで興味深いものです。

路地に主婦たちの話し声が聞こえる夕暮れです。

彼女たちの足下にネコとイヌがいます。ネコがオスで、イヌがメスです。ご主人たちが仲良しなので動物たちも種を越えてとても仲が良いと聞きます。カメラを向けるとネコが少し緊張するのですが、メスのパグが「大丈夫よ」と、ネコにやさしく声をかけているような気がしました。

福江島　長崎県

ドゥブロヴニク郊外　クロアチア

斜面が連なる道に、使われていないロシア製の赤い車が置かれています。

ボンネットに乗っているイヌの方が積極的にネコへ遊ぼうよ、とアプローチします。イヌとネコは仲良し、いつも一緒だとご主人から聞きますが、様子を見ているとネコがイヌに対して、いいよ、とOKを出すかどうかで遊びが始まります。

イヌの遊び方が激しすぎるとネコは樹上に避難します。

シャウエンの街は青く彩られています。夜が明けヒトが動き始める前のひととき、通りにはネコの時間が流れます。恋の季節、オスは忙しく街をパトロールしながらメスを探し求愛し、時に他のオスと対決します。

　角を曲がると壁に前足をかけたネコが、窓辺のネコを見上げています。「わぁ、ネコ版のロミオとジュリエット」と思いきや、どちらもオスでした。

シャウエン　モロッコ

鞆の浦　広島県

イヌとネコの写真ですが、これは親子です。といっても、イヌからネコが生まれたわけではありません。イヌがネコの育ての親なのです。

ネコは生まれてすぐに母親を亡くします。そのため、メスの柴犬が授乳をするようになります。以降、イヌとネコは親子関係です。イヌとネコはあまり仲が良くないと思われています。でも、それはほとんどの動物にいえるように、一頭一頭で気質が違うということなのでしょう。

このイヌとネコのご主人は同じです。でもご主人が違う場合でも仲良しはいます。それはご主人同士が仲良しだからです。動物はヒトを映す鏡といっても良いでしょう。

松江市　島根県

ミケネコは相変わらず人気があります。最近、はけでハッキリと三色に塗ったような模様のネコが少なくなったという話を聞きます。ただ、ネコ同士は模様についてどう思っているのでしょう。

ミケネコが仲良しの耳元をなめようとしています。すると相手はなめやすいように体を傾けます。二匹は通りすがりにスキンシップをしながら、いろいろな確認を瞬時に済ませます。

ネコ同士のコミュニケーションには未知の部分が隠されているように思います。

粭島　山口県

あったかいね

シチリア島　イタリア

霧が晴れて納屋からネコたちが出てきます。鉢植えの横にメスが座ります。背中に何かあるところを選ぶのも、安全を確保するという野生の本能が残されているからなのでしょうか。

オスがメスに挨拶します。一緒に生まれた兄妹です。オスとメスの骨格の違いが「らしさ」を表しています。肌寒い朝がポッと暖かくなる瞬間でした。

ネコは、ヒトと似るものだと思います。ゴンちゃんというオスは、ウニ漁師の家のネコです。お父さんの船が帰ってくるのをお母さんと待っています。環境や風土が、ヒトはもちろん、ネコも育てるようです。

家の前の道路で休んでいるとタクシーの運転手がクラクションを鳴らします。ゴンちゃんはビクともしません。若いときにはゴメ（カモメ）とも渡り合った、とのこと。度胸も備えた大したネコです。

函館市　北海道

ハバナ　キューバ

ハバナの街角に子ネコがいました。鳴きながら母ネコを探しているようです。

あちらこちらと歩き回っていましたが、ヒトに蹴飛ばされそうになったり、ゴミ収集の車にひかれそうになったり。

気を揉んでいるとシロクロ模様のオスが近寄ってきます。子ネコの頭から背中をなめてやります。疲れて動けなくなっていた子ネコが立ち上がりました。オスが歩き出すと子ネコが従います。大きな門扉のある福祉施設に2匹は入って行きました。家族として迎えられるようにと深く深く願います。

DaDo

シチリア島　イタリア

ショーウィンドウの中、でんと横になっているオスネコがいます。「よくできたぬいぐるみだなぁ」と見ていたら、耳がピクピクと動いたので店の中に入ります。

ペット商品も扱う薬屋さん。写真を撮らせて、とお願いしたら店の奥からお嬢さんが出てきました。彼女の姿を見るや否や寝ていたオスがサッと立ち上がり姿勢を正します。幼いころ交通事故にあった彼を助けた、命の恩人がそのお嬢さんだったのです。

キューバの首都ハバナの街角にあるコンテナの下に、ネコたちが暮らしています。通りかかるヒトを見上げては何かを確かめているようです。

ネコは腹時計が正確です。いっせいに飛び出してきました。どうしてわかったのでしょう、建物の角からマリアさんの姿が現れます。近くの露店で古本などを販売している彼女ですが、ネコたちの面倒を見てくれる優しさにあふれています。まとわりついてくるネコに声をかけながらコンテナへと再び移動させます。ネコが彼女をいかに信頼しているか、尻尾の上がり方が示しています。

ハバナ　キューバ

サントリーニ島　ギリシャ

エーゲ海に浮かぶサントリーニ島。断崖の上に白い家が建ち並ぶ、美しい景色で知られています。

朝、ネコが塀から塀へとジャンプして一軒の家の中庭に入っていきます。すでに集まっていたネコたちが、ちょうど朝ごはんを食べ始めたところでした。

イヌもいて大騒ぎの食事風景となります。6月の陽光は眩しく、すぐに暑くなり、ネコたちはそれぞれの休息場所に落ち着きます。兄妹が塀の影を選び、並んで目をつむります。暑いのにくっついて、本当に仲良しなのですね。

また会おうね

天草市　熊本県

日田市　大分県

ネコとの初対面で注意することは様々です。

遠くからじっとこちらを見続けるネコは警戒していきます。あちらこちらと関心を移しながら向かってくるネコには、ひざを折って、「やぁ」と挨拶します。すぐ手前まで来て、枯れ木の匂いを嗅いでヒゲを擦りつけ頭を傾ける姿は、実はこちらの動きを確認するための様子見でもあるのです。もう一声、「いい子だね」と呼びかけると瞬時に脚へとすり寄ってきます。

優しいヒトに大切にされている温かさが伝わってくる瞬間でもありました。

白川村　岐阜県

玄関前でご主人の帰りを待つネコの姉妹がいます。冬なので、あたりに動くものが見当たりません。屋根から落ちてくる雪玉の動きに、目が吸い寄せられています。なんでも遊び道具にしてしまうネコ、雪玉に手を出します。それから冷たくなった肉球をなめるのです。

一瞬ですが、ネコの口から白い吐息が見られます。カメラを持つかじかんだ手も暖かく包まれたようです。

雪国のネコはたくましい。港の倉庫で暮らすネコは、優しいヒトがやってくる時間になると、外へと出てきます。

海際まで行ってハクチョウをチラッと見やり、その場に座ります。その位置だと倉庫の裏手の道がよく見えるのです。突然、ネコが走り出しました。姿はありませんが気づいたようです。袋を抱えているヒトが現れました。走り寄り、足に絡みつくように甘えます。

青森市　青森県

藤沢市　神奈川県

晴れ渡る空、身の引き締まるような寒さです。海岸線からは丹沢の山々、そして富士山が望めます。空き地にオスが顔を出します。低木に頭を擦り付けてマーキングを始めました。機嫌が良いのか、まるで今にも歌いだしそうです。こういう穏やかな日にはパトロールの範囲も広がります。かわいい子でも探しに行くのでしょうか。

朝早くから営業している卵の販売店。店の看板ネコに会いたくて来る客もいるそうです。うず高く積まれた卵が売れて、時間とともにカゴの隅に隙間ができます。それを待っていたかのようにミケネコがその隙間に入り込みます。お店のご主人は笑顔で見ています。彼女の前掛けのイラストが招き猫で、こちらも思わず頬が緩みます。

台北市　台湾

竹富島　沖縄県

夕方、道の真ん中で出合った光景です。脚をゆだねると楽ですね。血族のつながりはこんなちょっとした仕草にも表れます。

１年を通して温暖な気候は、ネコに余裕を与えるのでしょう。のんびりとした暮らしぶりはヒトの動きにも重なり、南国らしさを感じます。

おわりに

「ネコへの恋文」

まっすぐに見つめてくる顔、鳴いている顔、知らんふりしながら足元に擦り寄ってきて見上げる顔、そんな君が大好きです。

ヨーロッパの集合住宅、様々な木々や花々、美しい芝生の中庭を箱形に住居が囲みます。玄関が開きご婦人が出てきて、小さなテントのようなものを芝生に投げ入れます。どこに隠れていたのか君が飛び出してきてダッシュ！　そのテントに飛び込みました。これは可愛い。そしてテントの中でテントと戯れるように暴れます。近寄ると動きを止め首を傾け、まん丸のブルーの瞳でまっすぐに見つめてくる。これで僕は降参です。

しばらくすると飽きたのか、ふいとテントを出て行きます。もう一度テントへの飛び込みを見たい。ご婦人はどこかへ出かけてしまったので、僕が小さなテントをつかんで投げてみました。君は興味なさげに一瞥《いちべつ》すると知らんふり。え、投げ方が気に入らないの、と少し角度を変えてまた挑戦してみます。今度は見てもくれません。そうか、君にとって僕はどうでも良い存在なのですね。ご主人が喜んでくれるから、テントへのダッシュを、滑稽にまで見えるその行為を、毎日毎回繰り返すのですね。そんな君がたまらなく大好きです。

光昭より

©Machi Iwago

岩合光昭
（いわごう・みつあき）

1950年東京生まれ。地球上のあらゆる地域をフィールドに活躍する動物写真家。その独特の色やコントラスト、想像力をかきたてる写真は日本のみならず、世界的にも高く評価されている。一方でライフワークともいえるネコの撮影にも力を入れており、2012年から始まったNHK BS『岩合光昭の世界ネコ歩き』が好評放映中。写真展「ねこ」「ねこ歩き」「ネコライオン」などが日本各地で巡回中。著書に『岩合光昭の世界ネコ歩き』『ふるさとのねこ』（クレヴィス）、『猫にまた旅』（朝日新聞出版）、『イタリアの猫』（新潮社）、『岩合さんの好きなネコ』（辰巳出版）などがある。

ネコへの恋文

2016年10月3日　初版第1刷発行
2023年3月30日　初版第5刷発行

著　者　岩合光昭
発行者　佐藤珠希
発　行　株式会社日経ＢＰ
発　売　株式会社日経ＢＰマーケティング
〒105-8308 東京都港区虎ノ門4-3-12
装丁・本文デザイン　長井雅子（in C）
編　集　郡司真紀
出版プロデュース・構成　白井晶子
編集協力　白澤淳子（日経ヘルス編集）
プリンティング ディレクション　加藤剛直　田口優一（DNPメディア・アート）
印刷・製本　大日本印刷株式会社

ISBN978-4-8222-6190-0　Printed in Japan

※本書は、小社刊行の雑誌「日経ヘルス」（2011年12月号～2016年9月号）の連載「いのちの温度」に掲載されたものの一部に、新規写真を加え、再編集したものです。

TO CATS
AIR MAIL
MITSUAKI IWAGO
PAR AVION